D

ICARUS:

A TIERED LATIN READER

excerpts from Ovid's *Metamorphoses*
and Hyginus' *Fabulae*

Comprehensible Classics #8

Comprehensible Classics
Press
Dacula, GA

Daedalus et Icarus: A Tiered Latin Reader: excerpts from Ovid's Metamorphoses *and Hyginus'* Fabulae

Series: Comprehensible Classics #8

Comprehensible Classics Press
Dacula, GA

Revised Edition: June 2019

Cover design by Andrew Olimpi

Cover image:
"Daedalus" detail from *The Fall of Icarus, 17th century, Musée Antoine Vivenel* by wmpearl (cropped with color filters added).
Source: Wikimedia, PD-US, CC by 3.0.

ISBN-13: 978-1-7330052-0-3
ISBN-10: 1-7330052-0-X

uxori meae
pulcherrimae
et
filio meo
nuper nato

ABOUT THE SERIES:

Comprehensible Classics is a series of Latin novels for beginning and intermediate learners of Latin. The books are especially designed for use in a Latin classroom which focuses on communication and Comprehensible Input (rather than traditional grammar-based instruction). However, they certainly are useful in any Latin classroom and could provide independent learners of Latin (in any program) with interesting and highly-readable material for self-study.

Filia Regis et Monstrum Horribile
Comprehensible Classics #1:
Level: Beginner
Unique Word Count: 125

Perseus et Rex Malus
Comprehensible Classics #2:
Puer Ex Seripho, Vol. 1
Level: Intermediate
Unique Word Count: 300

Perseus et Medusa
Comprehensible Classics #3:
Puer Ex Seripho, Vol. 2
Level: Intermediate
Unique Word Count: 300

Via Periculosa
Comprehensible Classics #4
Level: Beginner-Intermediate
Unique Word Count: 130 (35 cognates)

Familia Mala: Saturnus et Iuppiter
Comprehensible Classics #5
Level: Beginner
Unique Word Count: 140 (45 cognates)

Labyrinthus
Comprehensible Classics #6
Level: Beginner:
Unique Word Count: 120 (45 cognates)

Ego, Polyphemus
Comprehensible Classics: #7
Level: Beginner
Total Unique Word Count: 140 (90 cognates)

Daedalus et Icarus: A Tiered Latin Reader
Comprehensible Classics #8
Level: Intermediate/Advanced

Upcoming Titles: (subject to change)

Duo Fratres (Familia Mala II)
Pandora (Familia Mala III)

Illustration/Photo Credits

cover photo:

cover: detail from *The Fall of Icarus, 17th century, Musée Antoine Vivenel* by wmpearl (cropped with color filters added). Source: Wikimedia, PD-US, CC by 3.0

title page: *ibid.*

p. 9: detail from "Daedalus und Ikarus, Relief in der Villa Albani (Rom)" from Myers Konversationslexicon, (4th ed.), vol 5, p. 409. Source: Wikimedia, PD-US, CC by 3.0

p. 16 "Labyrinth" detail from *The Fall of Icarus, 17th century, Musée Antoine Vivenel* by wmpearl (cropped with color filters added). Source: Wikimedia, PD-US, CC by 3.0

p. 34: illustration by Willy Pogany, from Colum, Padraic. *The Golden Fleece and the Heroes Who Lived Before Achilles*. Macmillan. New York, 1921 (p. 213). Source: Wikimedia, PD-US, CC by 3.0

pp. 41-2, 44. detail from plate 11 in *Urania's Mirror*, a set of celestial cards accompanied by *A familiar treatise on astronomy ...* by Jehoshaphat Aspin. London. 1825. Source: Wikimedia, PD-retouched-user | Adam Cuerden.

pp. 42, 44. detail from plate 12 in *Urania's Mirror*, a set of celestial cards accompanied by *A familiar treatise on astronomy ...* by Jehoshaphat Aspin. London. 1825. Source: Wikimedia, PD-retouched-user | Adam Cuerden.

p. 69 "Daedalus" detail from *The Fall of Icarus, 17th century, Musée Antoine Vivenel* by wmpearl (cropped with color filters added). Source: Wikimedia, PD-US, CC by 3.0.

p. 74, 78-9. Details from plates 9, 10, and 29 in *Urania's Mirror*, a set of celestial cards accompanied by *A familiar treatise on astronomy ...* by Jehoshaphat Aspin. London. 1825. Source: Wikimedia, PD-retouched-user | Adam Cuerden.

pp. 90, 92-3, 99: details from *Der Val von Icarus* by Pieter Brueghel the Elder (cropped). Source Wikimedia/The Bridgeman Art Library, Object 3675, PD-US, CC by 3.0

Preface
How to Use this Book

I.
Introduction to Tiered Readers

What is a tiered reader?

The following is not a scholarly text, but an attempt at an accessible reading aid for students beginning to read Latin literature for the first time, or for students who have experience translating Latin texts, but little facility in reading Latin. The perceived gap between reading the Latin texts found in language textbooks and the texts that native Latin speakers wrote is well-known (and much-lamented) among Latin teachers and professors, and over the years many attempts to bridge that gap have appeared in the form of commentaries, readers, anthologies, and adapted texts. With few exceptions, what unites these transitional readers is the goal that, in the end, students be able to translate (that is, *decode*) the Latin texts. This book approaches the task of reading authentic Latin texts from a more communicative perspective.

Essentially this book is a series of passages (arranged into "tiers") which adapt an excerpt of authentic Latin into less complex readings of gradually ascending difficulty and complexity, until the original text appears in the final tier. This way there is no need to interrupt the flow of the reading to check grammar notes or vocabulary (with the exception of the occasional marginal gloss). More importantly, the reader also encounters the vocabulary and syntax of the original passage repeatedly in an understandable context. An intermediate-level reader (perhaps after two or three years of Latin instruction) can dive into the story from the beginning.

The Layout of the Tiers

I adopted the following scheme for each tier:

Tier I presents the original text adapted into very simple, beginner/novice-level Latin. The vocabulary is deliberately limited, the sentences are short and straightforward, and the passages are fairly (and purposely) repetitive.

Teir II is more complex. In the second tier the sentences are a bit longer and more intricate, reflecting more of the vocabulary and expressions used in the original. Repetition is still present, but less copious.

Tier III is more complex still and more closely related to the original text. Prose word order is employed when the original is poetry. Most of the syntax and vocabulary of the original text appears, with the addition of words inserted in brackets to help clarify anything that a Latin learner may find troublesome or unclear in the original Latin.

Tier IV: The original text presented without notes or glosses.

In all tiers (except the fourth) I have included Latin-to-English marginal glosses, typically the first time the word appears in the text, though this is not a strict rule. On occasion I will gloss an entire phrase. Throughout I have erred on the side of providing too much help rather than too little.

How to begin

There are multiple ways to read this book. Below are three approaches that I think would be beneficial to different types of readers, but this list is in no way definitive. I encourage readers to find the approach that is most suited to their reading ability.

To me the most obvious approach is to begin from Pars I, Tier I, and read a section gradually proceeding up through the tiers to the original text. This plan would best suit more advanced readers, as the linguistic difficulty and vocabulary demands ramp up quickly.

Alternatively, intermediate readers could work through the entire book reading only the first *two tiers* in each section, After the reader has confidence with the first two tiers, it would be an easy matter to move on to the third.

Yet another plan could work for novice readers of Latin: to read only the first tier (or two), ignoring the higher tiers completely. The first-tier readings employ limited vocabulary, straightforward syntax, and frequent repetition: therefore, a reader in her first year or second year of Latin study could easily begin to gain exposure to bits of authentic Latin, without having to arduously translate a text that is too advanced.

In short, it is not necessary to read the text in a linear way. Rather, I encourage readers to browse, skim, skip, or reread the passages in any order they please. What is important is the act of reading—and *rereading*—the words on the page (and comprehending what one reads). This process will lead to greater confidence and proficiency.

II.
Further reading

As stated above, this book is not meant to be a scholarly introduction to the included texts or their authors. Rather it is strictly a reading aid and can therefore be used in conjunction with any more traditional student edition of Ovid or Hyginus. Below I have included a very short bibliography of texts that will provide the reader with ample introductory material and scholarly commentary.

Ovid

Latin:

LaFleur, Richard A. *Love and Transformation: An Ovid Reader* (Pearson).

> a well-organized text with an introduction to the life and works of Ovid, as well as the Latin text of "Daedalus and Icarus" with accompanying notes.

English:

Raeburn, David (tr.). *Ovid: Metamophoses.* (Penguin).

> An excellent verse translation of the entire Metamophoses with a scholarly—but approachable—introduction.

Hyginus:

English

Smith, R. Scott and Stephen M. Trzaskoma. (tr.).

> *Apollodorus'* Library *and Hyginus'* Fabulae.
>
> (Hackett).
>
> This volume contains an English translation of the *Fabulae*, along with a general introduction.

Latin texts of Hyginus are difficult to find (in America at least), and no recent "student editions" of his *Fabulae* exist.

However, the entire Latin text is available online (for free) through the Latin Library (www.thelatinlibrary.com).

III. Acknowledgements

I would like to thank Robert Amstutz and Lindsey Sears-Tam for introducing me to the idea of using tiered readings for Latin texts, as well as providing models and examples of how to produce such texts. I extend special thanks to Wouter van den Berg for helping with the formatting and suggesting a scheme for better organizing the sections. I also wish to thank my Latin III-IV classes for reading the manuscript, providing feedback from a student's perspective, and helping identify errors in the text. Ultimately, any typos or errors in the text are entirely my own. Readers who find any typos can contact me through the Comprehensible Classics blog at:

https://comprehensibleclassics.wordpress.com/contact

Since this work is published print-on-demand, typos and *errores Latinitatis* can be corrected immediately for future printings.

IV. A Note on the text.

For the Hyginus passages, I followed the Budé edition, and the Ovid text is based on the Oxford Classical Texts 2004 edition.

PARS I

Daedalus

TIER 1.1

est artifex. nōmen artificī est Daedalus. est vir Graecus. multa opera facit. opera Daedalī mīrābilia sunt.

est dea. nōmen deae est Minerva. Minerva est dea fābricae.

ōlim dea artificī Daedalō fābricam dedit. nunc Daedalus bonus artifex est. ille magnā arte labōrat.

artifex: *craftsman*

opera: *works*

mirabilia: *wondrous, miraculous*

fabrica: *the art of craftsmanship*

est puer. nōmen puerō est Perdix. Perdix nōn est fīlius Daedalī, sed nepōs. est fīlius sorōris Daedalī. puer est artifex bonus velut Daedalus. cum Daedalō labōrat ad fābricam discendam.

nepos: *nephew*

velut: *as, like*

ad discendam: *in order to learn*

Daedalus est magister bonus, et Perdix est Artifex bonus. Perdix multa opera facit. ille magnā arte labōrat!

puer serpentem videt et dentēs serpentīnōs observat. tum dentēs metallicōs facit similēs dentibus serpentīnīs.

Perdix serram invenit similem dentibus.

serra*: a saw*

Daedalus serram mīrābilem videt. nōn gaudet. ille nepōtī invidet. īrātus est.

invidet: *envies, hates*

Daedalus nepōtem ad tectum ducit. tum quod nepōtī invidet, Daedalus Perdīcem dē tectō iacit. puer dē tectō ad terram cadit. puer miser mortuus est. scelus Daedalī est horribile. Daedalus ab Graeciā effugit ad īnsulam Crētam.

tectum: *the roof*

scelus*: a wicked deed, crime*

TIER 1.2

Daedalus erat fīlius Eupalamī. artifex erat. ille artem ā deā Minervā accēperat. Minerva erat dea fābricae. Daedalus multa opera mīrābilia fēcit. erat artifex optimus.

erat Daedalō nepōs. erat fīlius sorōris. nōmen nepōtī erat Perdix. Perdix erat artifex optimus velut Daedalus. velut Daedalus hic puer multa opera mīrābilia fēcit. ōlim ille serram fēcit ex dentibus serpentīnīs.

Daedalus nepōtī invīdit quod puer quoque opera

mīrābilia faciēbat. invidia Daedalī tam magna erat ut ille Perdīcem dē summō tēctō iēcerit.

ō scelus horribile!

propter scelus suum nunc Daedalus in exiliō est. ille ab Graeciā nāvigābat ad īnsulam Crētam.

invidia: *jealousy*

tam . . . ut: *so [great] that . . .*

propter: *because of*

TIER 1.3

Daedalus

Eupalamī fīlius,

quī dīcitur fābricam ā Minervā accēpisse,

dicitur: *is said*

[ille] summō tectō dēicit Perdīcem fīlium sorōris suae

propter invidiam artificiī,

invidia: *envy*
artificium: *skill, ingenuity*

quod is [Perdix] prīmum serram invēnerat.

invenerat: *had discovered, invented*

ob id scelus

ob: *because of*

in exsilium ab Athēnīs Crētam ad rēgem Mīnōem abiit.

Minoem: *Minos, the king of Crete, and enemy of Athens*

TIER 1.4

(Hygīnus *Fābulae* 39.1)

Daedalus Eupalamī fīlius, quī fābricam ā Minervā dīcitur accēpisse, Perdīcem sorōris suae fīlium propter artificiī invidiam, quod is prīmum serram invēnerat, summō tectō dēicit. ob id scelus in exsilium ab Athēnīs Crētam ad rēgem Mīnōem abiit.

PARS II

Pāsiphaē

TIER 2.1

est fēmina. nōmen fēminae est Pāsiphaē. uxor Mīnōis est.

dea Venus sacrifica vult. Pāsiphaē est fēmina mala. illa Venerī nōn sacrificat. nunc Venus īrāta est.

dea fēminam malam pūnit. Venus fēminae amōrem malum dat. hic amor est nefas!

nefas: *unlawful, wicked*

in Crētā est taurus, magnus et pulcher. dea

Venus facit ut Pāsiphaē taurum amet!

facit ut: *makes it that, brings it about that*

fēmina taurum amat. taurus autem fēminam malam nōn amat. taurus fēminās nōn amat—sed vaccās.

vacca: *a cow*

Pāsiphaē cōnsilium capit. illa in vaccam trānsformārī vult. cōnsilium est nefas. nefas est taurum amāre!

Daedalus in Crētam venit. est artifex bonus.

Pāsiphaē inquit: "ō Daedale! ego taurum amō. autem taurus mē nōn amat, quod nōn sum vacca. ō artifex bone, transformā mē in vaccam!"

Daedalus scit cōnsilium fēminae esse nefas. autem fēminam timet. igitur Daedalus māchinam facit in formam vaccae. Pāsiphaē māchinam intrat. iam nōn vidētur esse fēmina. vidētur esse vacca. sed est vacca falsa!

videtur esse: *seems to be, appears to be*

taurus vaccam falsam amat. mox fēmina fīlium parit. autem fīlius horribilis est. mōnstrum est. īnfāns caput būbulum habēbat, sed corpus hūmānum.

parit: *bears, gives birth to*

bubulum: *of a bull, a bull's*

name monsters
nōmen mōnstrō est Mīnōtaurus.

TIER 2.2

uxor Mīnōis, Pāsiphaē, fīlia deī Sōlis erat.

illa deae Venerī sacra nōn fēcerat. multōs annōs sacra nōn faciēbat. propter neglegentiam fēminae Venus īrā commōta est.

dea Venus igitur fēminae amōrem malum dedit. autem amor nefas erat et īnfandus erat. dea puellae amōrem nefas et īnfandum dedit.

neglegentia: *negligence*

ira commota: *moved with anger*

infandus: *unspeakable*

fecit ut: *make it that, brought it about that . . .*

Venus fēcit ut Pāsiphaē taurum amāret.

Daedalus ad Crētam vēnit, effugiēns ab urbe Athēnīs. exsul erat. cum artifex in Crētā vēnisset, Pāsiphaē ab eō auxilium petīvit.

exsul*: an exile*

auxilium petivit: *sought help, asked for help*

Pāsiphaē lacrimāns, "ō Daedale," inquit, "dā mihi auxilium. taurum amō. at misera sum! taurus mē nōn amat, quod sum fēmina, nōn vacca."

Daedalus verbīs fēminae commōtus cōnsilium cēpit.

verbis feminae: *by the woman's words*

artifex fēminae vaccam ligneam fēcit. erat opus mīrābile. tum super vaccam ligneam corium būbulum inposuit. vacca lignea imitābātur vēram vaccam.

ligneam: *wooden*

corium bubulum: *a cow's skin*

imitabatur: *was imitating*

vaccam ligneam vidēns taurus amōre captus est. nesciēbat fēminam inclūdī in vaccā ligneā.

paulō post fēmina mala fīlium peperit. mōnstrum peperit! mōnstrum erat Mīnōtaurus! erat Mīnōtaurō caput būbulum, sed īnferior pars mōnstrī erat hūmāna.

paulo post: *shortly after*

peperit: *gave birth to, bore*

inferior: *lower*

inclusus est: *was shut in, confined*

tunc Daedalus labyrinthum cōnstruxit, in quō mōnstrum inclūsus est.

tunc Daedalus labyrinthum cōnstruxit . . .

TIER 2.3

Pāsiphaē

Sōlis fīlia

uxor Mīnōis

per aliquot annōs

sacra deae Veneris nōn fēcerat.

ob id [scelus]

Venus amōrem īnfandum illī [fēminae] obiēcit,

ut [femina] taurum amāret.

cum Daedalus exsul vēnisset

in hōc [locō],

[Pāsiphaē] petīvit ab eō [Daedalō] auxilium.

aliquot: *several*

ob: *because of*

amorem obiecit: *to bring love upon*

is eī [fēminae] vaccam ligneam fēcit

et [Daedalus] corium vērae vaccae indūxit . . .

induxit: *spread over, drew over*

[mox Pāsiphaē] Mīnōtaurum peperit

capite būbulō

parte īnferiōre hūmānā.

tunc Daedalus Mīnōtaurō labyrinthum inextrīcābilī exitū fēcit,
in quō [locō] [Mīnōtaurus] est conclūsus.

inextricabili exitu: *with an exit that is unable to be disentangled*

TIER 2.4

(Hygīnus *Fābulae* 40.1-3)

Pāsiphaē Sōlis fīlia uxor Mīnōis sacra deae Veneris per aliquot annōs nōn fēcerat. ob id Venus amōrem īnfandum illī obiēcit, ut taurum amāret. in hōc Daedalus exsul cum vēnisset, petiit ab eō auxilium. is eī vaccam ligneam fēcit et vērae vaccae corium indūxit, [mox] Mīnōtaurum peperit capite būbulō parte īnferiōre hūmānā.

tunc Daedalus Mīnōtaurō labyrinthum inextrīcābilī exitū fēcit, in quō est conclūsus.

PARS III

Mīnōs

TIER 3.1

est rēx. nōmen rēgī est Mīnōs. Mīnōs est rēx in Crētā. est rēx crūdēlis.

ōlim fuit bellum in Graeciā. Mīnōs in Athēniēnsēs pugnābat. fīlius Mīnōis in bellō pugnāvit. nōmen fīliō erat Androgeus. Androgeus in bellō pugnāvit, sed mortuus est. quod Androgeus mortuus est, rēx Mīnōs īrātus erat. rēx Mīnōs erat victor. omnēs Athēniēnsēs vectī-

vectigales: *people who pay taxes, tribute*

gālēs erant. rēx crūdēlis erat. annō ūnō quōque rēx volēbat septem līberōs Athēniēnsēs. volēbat līberōs ad Crētam īre. volēbat līberōs Athēniēnsēs esse cibum Mīnōtaurī! cōnsilium horribile erat!

anno uno quoque: *each year*

est vir. nōmen virō est Thēseus. vir ad urbem Athēnās venit. in urbe calamitātem malam videt! Omnēs miserī sunt!

calamtias: *disaster, calamity*

Athēniēnsēs: "ō Thēseu! miserī sumus! annō ūnō quōque rēx Mīnōs septem līberōs vult. līberī nostrī cibum Mīnōtaurō sunt! cōnsilium est crūdēle.

Thēseus rēspondet: "voluntāriē ad Crētam ībō. tum ego Mīnōtaurum interficiam!"

voluntarie: *voluntarily*

TIER 3.2

Mīnōs, fīlius Iovis et Eurōpae, erat rēx in Crētā. ōlim cum Athēniēnsibus bellum gessit. fīlius Mīnōis Androgeus in illō bellō cum Athēniēnsibus pugnāvit et occīsus est. mox rēx Mīnōs Athēniēnsēs vīcit. post victōriam Mīnōis cīvēs Athēniēnsēs coepērunt esse vectīgālēs Mīnōī.

bellum gessit: *waged war*

occisus est: *was cut down, killed*

propter mortem Androgeī rēx Mīnōs īrā commōtus est. instituit ut annō ūnō quōque Athēniēnsēs septem līberōs mitterent. hī līberī ad

instituit ut: *he determined that, he ruled that*

labyrinthum, quī erat domus Mīnōtaurī, missī sunt. ad labyrinthum missī sunt ut Mīnōtaurus eōs dēvorāret.

Troezen: *a city in Greece*

Thēseus ā Troezēne vēnit. postquam ad cīvitātem vēnerat, calamitātem magnam audīvit. tōta cīvitās calamitāte afficitur.

civitas: *the (Athenian) state*

afficitur: *is affected (by), is afflicted (with)*

calamitātem vidēns ille pollicitus est sē voluntāriē ad Crētam īre. pollicitus est sē voluntāriē ad Minōtaurum īre, atque Mīnōtaurum interficere.

pollicitus est: *promised*

TIER 3.3

Mīnōs Iovis et Eurōpae fīlius

cum Athēniēnsibus belligerāvit,

belligeravit: *waged war* (bellum gessit)

cuius [Mīnōis] fīlius Androgeus in pugnā est occīsus.

quī [Mīnōs] posteāquam [cīvēs] Athēniēnsēs vīcit,

qui: *and he*

posteaquam: *after that*

[cīvēs] vectīgālēs esse coepērunt;

[rēx Mīnōs] instituit autem

ut annō ūnō quōque [cīvēs Athēniēnsēs] septēnōs līberōs suōs Mīnōtaurō ad epulandum mitterent.

ad epulandum: *to be eaten*

Thēseus posteāquam ā [urbe] Troezēne vēnerat

posteaquam: *after that*

et audīvit,

quantā calamitāte cīvitās afficerētur,

quanta calamitate: *with how great a disaster*

pollicitus est sē voluntāriē īre ad Mīnōtaurum.

TIER 3.4

(Hygīnus *Fābulae* 41)

Mīnōs Iovis et Eurōpae fīlius cum Athēniēnsibus belligerāvit, cuius fīlius Androgeus in pugnā est occīsus. quī posteāquam Atheniēnsēs vīcit, vectīgālēs Mīnōis esse coepērunt; instituit autem ut annō ūnō quōque septēnōs līberōs suōs Mīnōtaurō ad epulandum mitterent.

Thēseus posteāquam ā Troezēne vēnerat et audiit quantā calamitāte cīvitās afficerētur, voluntāriē sē ad Mīnōtaurum pollicitus est īre.

PARS IV

Ariadna

TIER 4.1

in īnsulā Crētā est puella. puella est fīlia rēgis Mīnōis. nōmen puellae est Ariadna. Ariadna est pulchra. Ariadnae nōn placet in īnsulā Crētā habitāre.

Thēseus et līberī Graecī ad Crētam veniunt. Ariadna Thēseum videt et statim eum amat.

Ariadna misera est. nōn vult Thēseum ā Mīnōtaurō dēvorārī.

devorari: *to be devoured*

igitur cōnsilium capit. Thēseum servāre vult. puella Thēseō fīlum dat. fīlum est magicum.

Ariadna inquit: "ō Thēseu! ecce fīlum! fīlum meum magicum est. iānua Labyrinthī est difficilis vīsū. nēmō iānuam difficilem invēnit. relinque fīlum in terrā. tum fīlum iānuam tibi ostendet."

Thēseus fīlum accēpit, et labyrinthum intrat. tum ille fīlum in terrā relinquit. mox Mīnōtaurum invēnit. Thēseus et Mīnōtaurus pugnant. Mīnōtaurus mōnstrum est

filum*: a thread*

difficilis visu: *difficult to see*

ostendet*: will show*

horribile et forte, sed Thēseus est fortior. Mīnōtaurus ā Thēseō interficitur.

interficitur: *is killed*

postquam Mīnōtaurum interfēcit, fīlum in terrā iānuam difficilem ostendit. Thēseus et līberī ex labyrinthō effugiunt. Thēseus et Ariadna et līberī ad Graeciam nāvigant.

Thēseus et Ariadna ad īnsulam Dīam nāvigant. autem Thēseus consilum malum capit. dum puella dormit, Thēseus et līberī puellam in īnsulā relinquunt. unde ad Graeciam nāvigant.

unde: *from there, from which place*

TIER 4.2

Thēseus ad īnsulam Crētam vēnit. in Crētā habitābat fīlia Mīnōis Ariadna, quae erat puella pulchra.

Ariadna Thēseum vidēns amōre commōta est! Amor ēius magnus erat.

Ariadna amōre capta nōlēbat Thēseum ā Mīnōtaurō dēvorārī. igitur Ariadna Thēseum servāvit . . . et frātrem Mīnōtaurum prōdidit!

Ariadna Thēseō auxilium dedit. fīlum habuit. in

devorari: *to be devoured*

prodidit: *betrayed*

labyrinthō Thēseus fīlum in terrā relīquit.

postquam Thēseus Mīnōtaurum interfēcerat, iānuam difficilem invēnit līnō relictō.

lino relicto: *by way of the string which was left behind*

nūllus ex priōrum illam iānuam invēnerat.

ex priorum: *from, of the previous people*

prōtinus Ariadna ā Thēseō capta est. Ariadnā captā Thēseus et aliīs

protinus: *immediately*

Athēniēnsibus ad īnsulam Dīam nāvigāvit.

autem Thēseus crūdēlis cōnsilium malum cēpit. Thēseus puellam captam dēseruit in illā īnsulā parvā. puellā dormiente Thēseus prōtinus Athēnās nāvigāvit.

deseruit: *deserted*

Ariadna Thēseō fīlum dedit.

TIER 4.3

posteāquam Thēseus Crētam vēnit

[Thēseus] adamātus est ab Ariadnā Mīnōis fīliā

adeō ut [Ariadna] frātrem prōderet

et [Ariadna] hospitem [Thēseum] servāret . . .

ope virgineā [Ariadnae]

iānua difficilis

nūllīs iterāta priōrum

inventa est fīlō relēctō,

adamatus est: *was deeply loved*

adeo*: so much, to such an extent [that]*

hospitem*: foreigner*

ope virginea: with the maiden's help

iterata*: found again*

nullis . . . priorum: *by none of the previous ones*

rapta: *having taken away, abducted*

vela dedit: *gave sail, sailed*

destituit: *abandoned*

comitem: *companion*

prōtinus raptā Mīnōide [Ariadnā]

Aegīdēs [Thēseus] Dīam vēla dedit

et [Thēseus] crūdēlis dēstituit comitem suam in illō lītore.

TIER 4.4

(Hygīnus *Fābulae* 42)

Thēseus posteāquam Crētam vēnit ab Ariadnē Mīnōis fīliā est adamātus adeō ut frātrem prōderet et hospitem servāret . . .

(Ovid *Metamorphoses* 8.172-76)

. . . ope virgineā nūllīs iterāta priōrum
iānua difficilis fīlō est inventa relēctō,
prōtinus Aegīdēs raptā Mīnōide Dīam
vēla dedit comitemque suam crūdēlis in illō 175
lītore dēstituit . . .

PARS V

deus Liber

TIER 5.1

puella dēserta est in īnsulā. sōla est. trīstis est. puella multum lacrimat

in īnsulā est deus. deus est Liber. Liber puellam trīstem et lacrimantem audit.

Liber*: god of wine, also called "Bacchus"*

deus puellam amat. deus Liber puellae auxilium dat. puella deum amat. nunc est uxor deī.

in capite puellae est corōna. deus corōnam removet. tum corōnam iacit in caelō. corōna ad stēllās it. Liber vult memoriam Ariadnae esse aeternam. in corōnā multae gemmae sunt. dum corōna per caelum it, gemmae transformantur . . . in stēllās!

corona: *a crown*

gemmae: *jewels, gems*

corōna Ariadnae est sīdus.

sidus: *a star, a constellation*

TIER 5.2

puella Ariadna in īnsulā dēserta lacrimābat, multa querens. deus Liber quī in īnsulā habitābat puellam audīvit. Liber puellae lacrimantī et querentī opem (auxilium) tulit.

Liber inquit: "ō puella trīstis! nōlī lacrimāre. nōlī multa querere. deus sum! tē amō! tibi opem dabō!"

Liber corōnam dē fronte puellae sūmptam in caelum iēcit.

querens: *complaining (about)*

opem: *help, aid*

de fronte: *from the forehead*

sumptam: *taken up, lifted off*

deus voluit puellam esse clāram in sīdere perennī.

claram: *bright, famous*

perennis: *eternal, unending*

corōna per aurās volat. in corōnā multae gemmae sunt. dum volat, gemmae in ignēs vertuntur. fōrma corōnae remanet, et ignēs in caelō cōnsistunt. iam corōna Ariadna cōnsistit inter duōs sīdera.

aura*: air*

consistunt: stand, come to a halt

genu nititur: *leans on his knee, kneels*

cōnsistunt inter sidus Herculem, quī genū nītitur,

Anguitenens: *Ophiuchus, the "Serpent-bearer"*

et Anguitenentem (virum quī serpentem [anguem] tenet).

TIER 5.3

Liber [deus Bacchus]

amplexūs et opem tulit

amplexus: *embraces*

[puellae] dēsertae et multa querentī.

[Liber] corōnam inmīsit [in] caelō

inmisit*: threw into*

[corōnam] sūmptam dē fronte [puellae]

ut [puella] clāra [in] sīdere perennī foret:

foret*: would be*

illa [corōna] per tenuēs aurās volat

tenues*: thin*

dumque volat,

gemmae in ignēs nitidōs vertuntur.

nitidos: *shining, bright*

[et] specie corōnae remanente

specie . . . remanente: with the appearance remaining

[ignēs] cōnsistunt in locō

quī est medius Nixīque genū

medius*: in the middle of, between*

Anguemque tenentis.

-que: and

TIER 5.4

(Ovid *Metamorphoses* 8.176-182)

. . . dēsertae et multa querentī

amplexūs et opem Liber tulit, utque perennī

sīdere clāra foret, sūmptam dē fronte corōnam

inmīsit caelō: tenuēs volat illa per aurās

dumque volat, gemmae nitidōs vertuntur in ignēs 180

cōnsistuntque locō speciē remanente corōnae,

quī medius Nixīque genū est Anguemque tenentis.

PARS VI

exilium

TIER 6.1

Cretae*: on Crete*

ecce Daedalus. Crētae est. trīstis est quod in Graeciā nōn est. Graeciam amat quod domus est in Graeciā. Daedalus artifex Graeciam amat. iam in exiliō est.

possidit*: possesses*

Daedalus mare spectat. per mare effugere nōn potest. rēx Mīnōs fortis et crūdēlis est. Mīnōs mare possīdit. Daedalus terram spectat. per terram effugere nōn potest. Mīnōs īnsulam Crētam possīdit. Daedalus caelum spectat. avēs spectat. avēs per caelum eunt. ālās habent. Daedalus, artifex sapiēns, cōnsilium sapiēns capit:

"Mīnōs terram et mare possīdit, sed caelum nōn possīdit. hominēs per caelum īre nōn possunt. nātūra hominibus ālās nōn dedit. per caelum īre volō velut avis!

aves: birds

alas: wings

volo*: I want*
sicut*: like, just like*

TIER 6.2

litore*: the beach, the shore*

locus natalis: *birthplace*

perodi*: I hate greatly, detest*

iam Daedalus in lītore stābat. lītus erat in Crētā.

vir lacrimābat quod Crēta nōn erat locus nātālis ēius. urbs Athēnae locus nātālis erat. Daedalus īnsulam Crētam nōn amāvit.

Daedalus: "ōlim eram artifex praeclārus. nunc captīvus sum. in exiliō sum. exilium longum et difficile est. Athēnās amō. Athēnae est locus nātālis meus! Athēnās vidēre volō. Crētae esse nōlō. in exiliō esse nōlō. Crētam perōdī!

exilium perōdī! rēgem Mīnōem perōdī!"

diū Daedalus in terrā stābat mare spectāns. subitō cōnsilium cēpit! cōnsilium bonum erat! ingeniōsum erat!

diu: *for a while*

Daedalus: "ō rēx Mīnōs, īnsulam Crētam habēs. mare quoque habēs. tu terram et mare obstruis. at caelum . . . caelum nōn obstruis.

obstruis: *you block, barricade*

ecce caelum. caelum nōn clausum est velut terra et mare. caelum patet! per mare nōn ībō. per terram nōn ībō. per caelum ībō!"

patet: *is open*

Daedalus sapiēns erat. animus ēius erat ingeniōsus. nunc artifex animum ingeniōsum in ignōtās artēs dīmittit.

animum dimittit: *sends away his mind, turns his attention towards*

ignotas: *unknown*

Daedalus: "avēs in caelō videō. avēs per caelum eunt. nātūra ālās avibus dedit! nātūra hominibus ālās nōn dedit! deī volant quod immortālēs sunt. hominēs sunt mortālēs; itaque nōn volant. at animus meus ingeniōsus est. quod nātūra hominibus ālās nōn dēdit, ego ālās faciam! nātūram novābō!"

novabo: *I will renew, remake*

TIER 6.3

intereā Daedalus perōsus Crēten

et longum exilium

tāctusque amōre locī nātālis

[Daedalus] pelagō clausus erat.

[Daedalus] inquit: "licet (quamquam) Mīnōs terrās et undās obstruat:

et caelum certē patet; ībimus illāc.

Mīnōs omnia possideat, sed āera nōn possidet."

[Daedalus] dīxit

perosus: *having thoroughly hated*

tactus: *having been touched*

pelago: *by the sea*

undas: *the waves, the sea*

illac: *that way*

aera: *the air*

et animum in ignōtās artēs dīmittit

nātūramque novat.

TIER 6.4

(Ovid *Metamorphoses* 8.183-89)

Daedalus intereā Crēten longumque perōsus
exilium tāctusque locī nātālis amōre
clausus erat pelagō. 'terrās licet' inquit 'et undās 185
obstruat: et caelum certē patet; ībimus illāc:
omnia possideat, nōn possidet āera Mīnōs.'
dīxit et ignōtās animum dīmittit in artēs
nātūramque novat.

PARS VII

alae

TIER 7.1

Daedalus multās pennās habet. pennās in terrā pōnit. ecce pennae in ōrdine sunt. prīmum Daedalus minimās pennās in ōrdine pōnit. deinde longiōrēs pennās pōnit prope minimās. longiōrēs pennae sequuntur pennās minimās.

pennae clīvō crēscunt.

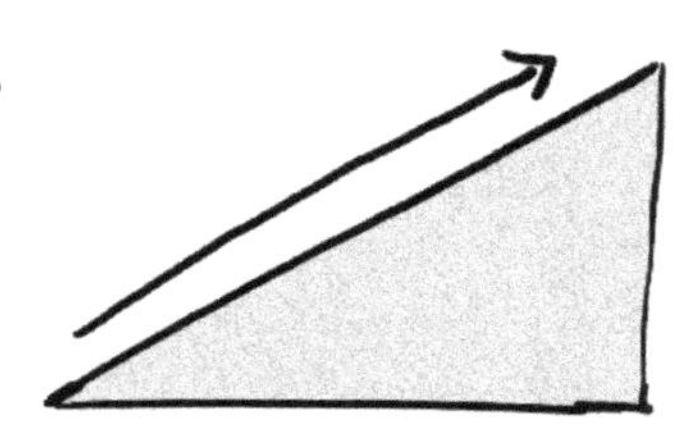

pennas: *feathers*

in ordine: *in order*

longiores: *the longer*

sequuntur: *follow*

clivo crescunt: *increase in a slope.*

pennae sunt similēs fistulae rūsticae

fistula rustica*: a shepherd's pipe (musical instrument)*

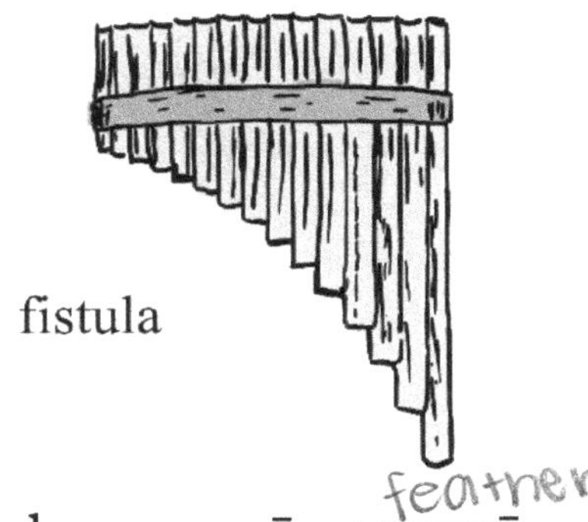

Daedalus omnēs pennās alligat. nunc pennae ālam faciunt. cērā et līnō ūtitur.

alligat: *ties together.*

ceris et lino: *wax and string*

tum ālam tōtam flectit. nōn magnō curvāmine ālam flectit. parvō curvāmine ālam flectit. nunc āla falsa imitātur avem vēram.

flectit*: bends*

curvamine: *in a curve, with a curve*

imitatur: *imitates*

TIER 7.2

Daedalus pōnit pennās in ōrdine. pennae in ōrdine pōnuntur ab minimā pennā ad maximam pennam.

Daedalus ā minimā pennā coepit. deinde longiōrēs pennās pōnit. breviōrēs pennae sequuntur longiōrēs pennās.

coepit: *begins*

ecce pennae crēscunt in ōrdine ab minimīs ad maximās. āla clīvō crēscit sīcut fistula.

ecce fistula rūstica.

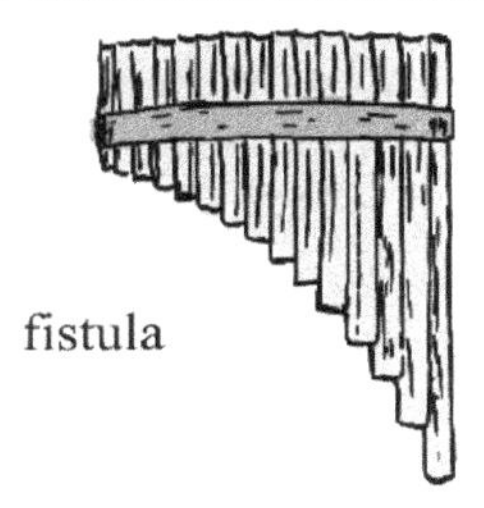

fistula clīvō crēscit. in fistulā rūsticā sunt multae avēnae disparēs. avēnae disparēs in ōrdine sunt ab minimīs ad longissimōs. avēnae fistulae paulātim surgunt.

avenae dispares: *reeds of unequal length.*

paulatim: *gradually*

omnibus in ōrdine positīs, Daedalus pennās

alligāre coepit. prīmum longissimās pennās ad mediās pennās alligat. artifex cērīs et līnō ūtitur ut pennās alliget. deinde mediās pennās ad īmās pennās alligat. iterum cērīs et līnō ūtitur. omnēs pennae cērīs et līnō componuntur. atque Daedalus ālam flectit. omnēs pennās compositās flectit. parvō curvāmine flectit. iam āla parvō curvamīne flexa vērās avēs imitātur.

ut: *in order to*

componuntur: *are put together*

compositas: (the feathers) which were put together

flexa: *having been bent*

TIER 7.3

nam pōnit pennās in ōrdine

coeptās ā minimā pennā,

breviōre (pennā)

sequentī longam (pennam),

ut [tū] pūtēs pennās clīvō crevisse.

sīc quondam rūstica fistula disparibus avēnīs paulātim surgit.

tum [Daedalus] alligat mediās [pennās] et īmās [pennās]

līnō et cērīs.

coeptas: *having begun*

ut tu putes: *so that you would think*

sic quondam: *thus once, at one time*

lino et ceris: *with string and wax*

ita: *thus, so*

ut: *so that, in order that*

atque [Daedalus] ita compositās [pennās] parvō curvāmine flectit,

ut [āla] vērās avēs imitētur.

TIER 7.4

(Ovid *Metamorphoses* 8.189-195)

nam pōnit in ōrdine pennās
ā minimā coeptās, longam breviōre sequentī, 190
ut clīvō crēvisse putēs: sīc rūstica quondam
fistula disparibus paulātim surgit avēnīs;
tum līnō mediās et cērīs alligat īmās
atque ita compositās parvō curvāmine flectit,
ut veras imitetur aves.

PARS VIII

Īcarus

TIER 8.1

ecce puer. in lītore est. puer una cum patre stat. pater labōrat et opus mīrābile facit. puer nōn labōrat, sed opus impedit! plūmae in aura sunt. puer gaudet et plūmas captat.

ecce cēra. puer pollicem in cēram pōnit. cēram pollice mollit.

gaudet cēram mollīre! Īcarus gaudet et ludit. opus patris impedit.

una*: together*

impedit: *impedes, hinders*

plumae*: feathers*

pollicem*: thumb*

cera: *wax*
mollit*: softens*

gaudet*: (he) is happy, (he) rejoices*

ecce opus patris.

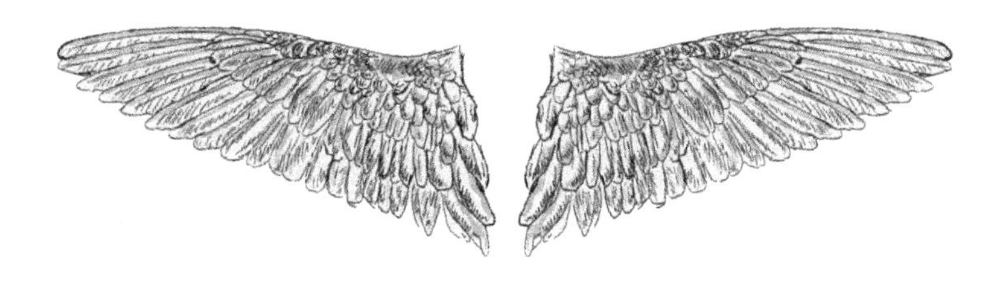

pater Daedalus ālās fēcit. opus mīrābile est. pater ālās movet, et nunc in aurā pendit! vir in aurā pendit sīcut avis! Īcarus patrem in aurā pendentem spectat et gaudet. puer quoque vult in aurā pendere. Daedalus ālās et plūmās movet. iam avem imitātur.

pendit: *hangs*

TIER 8.2

puer Īcarus ūna cum patre stābat. pater opus mīrābile faciēbat.

patre labōrante fīlius opus impediēbat. opus patris tractābat. nesciēbat opus patris esse perīculōsum. nesciēbat sē tractāre opus perīculōsum. Īcarus gaudēbat, et os Īcarī renīdēbat!

erat aura magna et vaga. aura vaga movēbat plūmās. ōre renīdentī Īcarus captābat et captābat plūmās aurā mōtās.

tractabat: (he) was handling, touching

os . . . renidebat: *his mouth was shining, he was grinning*

vaga*: wandering*

motas*: which were moved*

deinde cēram tractābat. pollicem in cēram impōnēns cēram molliēbat. Patre labōrante puer ludēns et gaudēns opus mīrābile impediēbat.

Īcarō lūdente pater Daedalus ultimam manum in opus inposuit.

ultimam manum: *the finishing touch*

artifex ālās novās movēre coepit. ipse lībrāvit suum corpus in ālās geminās! iam in aurā pependit! Daedalus vēram avem imitābātur!

libravit: launched

TIER 8.3

puer Īcarus ūnā stābat,

et ignārus [erat]

sē tractāre sua perīc[u]la,

modo, ōre renīdentī,

captābat plūmās

quās [plūmās] aura vaga mōverat,

modo flāvam cēram pollice molli[ē]bat

lūsūque suō impediēbat mīrābile opus patris.

postquam manus ultima inposita est

[operī]coeptō,

ignarus*: ignorant, unknowing (that)*

pericula*: dangers*

modo*: now*

lusu suo: *with his play*

operi coepto*: to the work which he began*

opifex ipse lībrāvit suum corpus

in ālās geminās

pependitque in aurā mōtā.

TIER 8.4

(Ovid *Metamorphoses* 8.195-202)

puer Īcarus ūnā 195
stābat et, ignārus sua sē tractāre perīcla,
ōre renīdentī modō, quās vaga mōverat aura,
captābat plūmās, flāvam modo pollicē cēram
mollībat lūsūque suō mīrābile patris
impediēbat opus. postquam manus ultima coeptō 200
inposita est, geminās opifex lībrāvit in ālās
ipse suum corpus mōtāque pependit in aura.

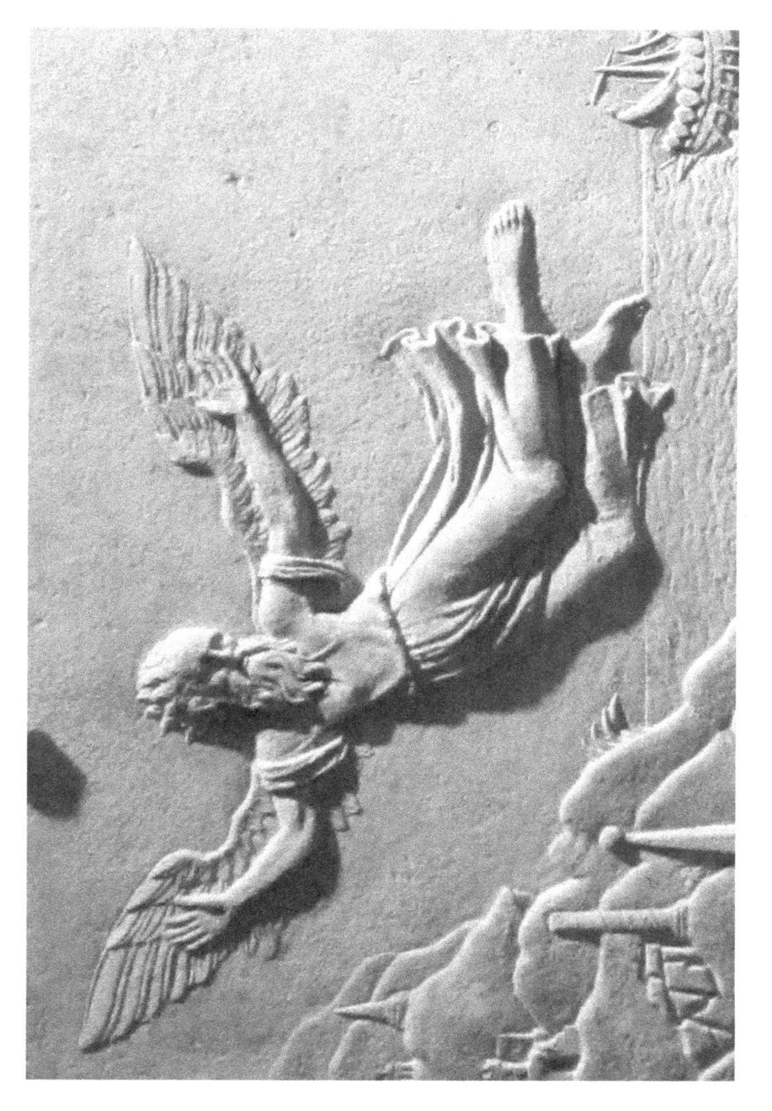

ipse suum corpus mōtāque pependit in aurā.

PARS 9.1

via media

TIER I

praecepta volandi: *the rules of flying*

Daedalus fīlium docet praecepta volandī. multa praecepta sunt.

curre: *fly, run*
limite: *path, passage*

demissior: *lower*

celsior: *higher*

Daedalus: "ō mī fīlī, curre in mediō līmite. nōlī currere in dēmissiōre līmite. nōlī currere in celsiōre līmite. curre per mediam viam."

celsior limes

medius limes 

Īcarus: "ō pater, quid accidet sī ego dēmissior curram?"

accident*: will happen*

pater: "sī dēmissior currēs, currēs prope mare. aqua in marī gravis est. in marī cadēs!"

gravis*: heavy*
cades*: you will fall*

Īcarus: "ō pater, quid accidet sī ego celsior curram?"

pater: "ignis est in līmite celsiōre. sī in līmite celsiōre currēs, currēs prope ignem. ignis omnia adūret. ignis ālās et tē adūret! nōlī currere in līmite celsiōre!"

aduret*: will burn*

TIER 9.2

Daedalus fīlium īnstruit et ait:

ait: *said*

"ō Īcare, tē moneō ut currās in mediō līmite. nōlī in līmite dēmissiōre currere, et nōlī in līmite celsiōre currere. currās in mediō līmite."

te moneo ut: *I warn you to*

Īcarus: "ō pater, quid accidet sī dēmissior curram?"

Daedalus: "ō puer, nōlī dēmissiōrem īre! sī dēmissior ībis, prope mare currēs. aqua gravis est. aqua ālās et pennās gravet."

gravet: *will weigh down*

Īcarus: "ō pater, quid accidet sī celsior curram?"

Daedalus: "ō puer, nōlī celsiōrem īre! sī celsior ībis, prope ignem in caelō currēs. ignis ālās et pennās adūret. ō mī fīlī, volā inter mare et ignem in mediō līmite. inter utrumque est via media."

utrumque*: each, both*

Īcarus caelum spectat. in caelō sunt multae stēllae.

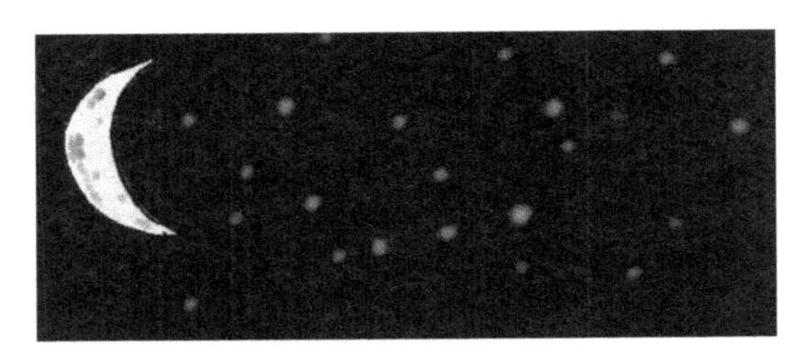

Īcarus: "ō pater, ubi est Graecia? quō ībimus?

quo*: where (to)?*

ne: *to . . . not*

pater rēspondit: "ō Īcare, ego tē iubeō nē ea sīdera spectēs! iubeō tē currere

neque
ad Boōtēn

neque ad
Helicēn

neque ad
gladium
Ōrīōnis.

ego dux erō. tē ad Graeciam dūcam. mē duce carpe viam!"

me duce: *with me as your leader*

carpe viam: *take up the road, go, travel*

Daedalus praecepta volandī trādit. multa praecepta trādit. puerō Īcarō nōn placent praecepta volandī. Īcarus putat praecepta longa et difficilia esse.

tandem pater ālās puerō dat. deinde ālās umerīs puerī accommodat. iam ālae in umerīs puerī sunt. Īcarō placet ālās in umerīs habēre.

umeris: *to the shoulders*

moneo: *I advise, warn*

unda: *a wave, the ocean*

TIER 9.3

et Daedalus fīlium īnstruit et ait:

"moneō ut currās in mediō līmite, Īcare,

nē unda gravet pennās

sī dēmissior ībis,

et nē ignis adūrat pennās

sī celsior ībis.

volā inter utrumque [mare et ignem].

et iubeō tē nōn spectāre Boōtēn	
aut Helicēn	
aut strictum ensem [gladium] Ōrīonis.	strictum: *drawn*
mē duce carpe viam!"	
[pater] pariter praecepta volandī trādit,	partier: *equally, as well, together*
et ignōtās ālās umerīs accommodat.	ignotas alas: *the unfamiliar wings*

Benetnasch
Nekkar
Alkalurops
Asterion
BOREALIS
Gemma, vel
Alphacca
Muphride
Arcturus
MONS MÆNALUS

Boötes

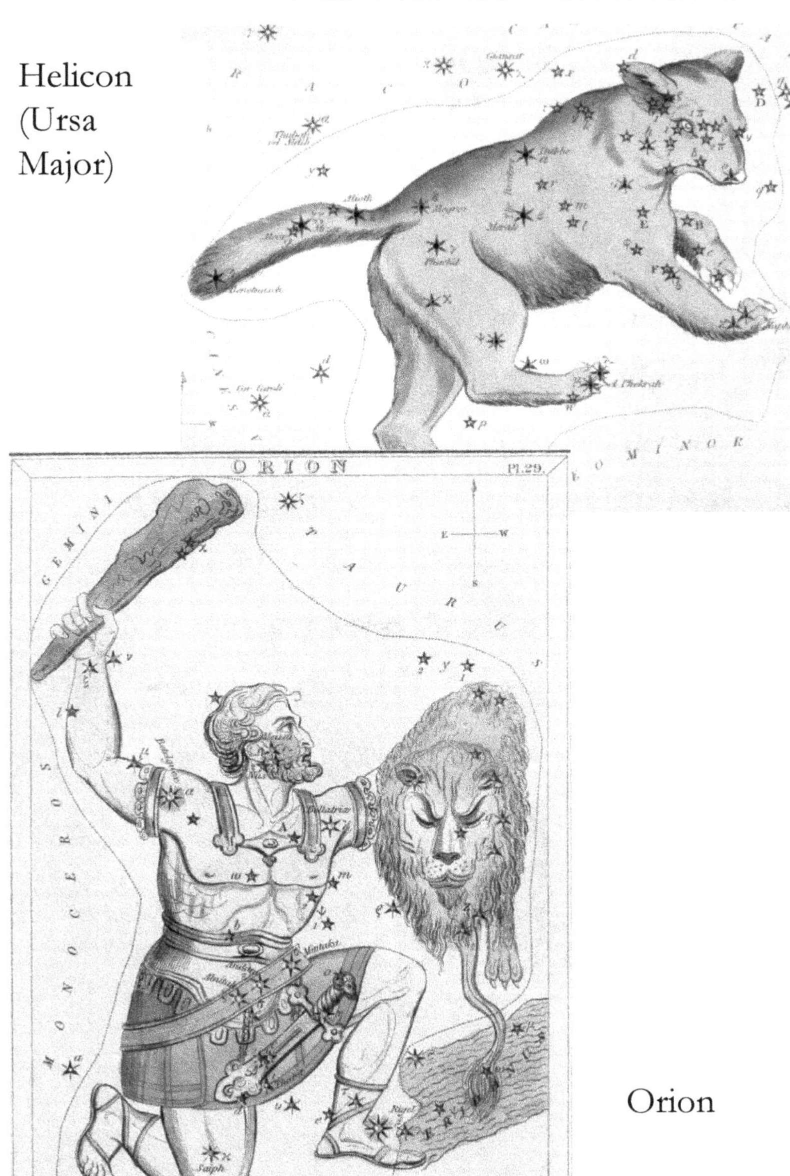

Helicon (Ursa Major)

Orion

TIER 9.4

(Ovid *Metamorphoses* 8.203-9)

īnstruit et nātum 'mediō' que 'ut līmite currās,
Īcare,' ait 'moneō, nē, sī dēmissior ībis,
unda gravet pennās, sī celsior, ignis adūrat: 205
inter utrumque volā. nec tē spectāre Boōtēn
aut Helicēn iubeō strictumque Ōrīonis ensem:
mē duce carpe viam!' pariter praecepta volandī
trādit et ignōtās umerīs accommodat ālās.

PARS X

volātus

TIER 10.1

Daedalus lacrimat et timet. manūs Daedalī tremunt. manūs Īcarī nōn tremunt; puer nōn timent. Īcarus nescit cūr pater lacrimet. nescit cūr manūs patris tremant.

pater ōscula fīliō dat. deinde ālās movet. Icarus quoque ālās movet. ālās movēns Daedalus ālīs levātur. Icarus quoque ālīs levātur. pater et fīlius volant.

tremunt: *shake*

oscula: kisses

alis levatur: *is raised up on his wings*

pater ante fīlium suum volat, fīliō timēns. puer Īcarus patrem sequitur. puer neque patrī neque sibi timet. puer nōn timet volāre, sed gaudet volāre!

filio timens: *fearing for his son*

iam pater ante fīlium volāns timet. sibi nōn timet. fīliō timet.

Daedalus est similis mātrī avī. Īcarus est similis parvae avī.

māter et parva avis in nīdō sunt. nīdus est in arbore altā. māter fīlium docet. māter fīliō dat praecepta volandī. māter volat; fīlius sequitur.

nido*: nest*

alta*: high, tall*

Daedalus timet. ad fīlium respicit. fīlium ālās moventem vīdit. fīlius volāre gaudet, et patrem sequitur.

TIER 10.2

Daedalus fīlium Īcarum monuit. fīliō dēdit praecepta volandī. dum fīlium praecepta docēbat, Daedalus lacrimāvit. ecce manūs patris tremuērunt! pater lacrimāns timuit! puer Īcarus manūs trementēs nōn vīdit. praecepta volandī nōn audīvit. pater fīliō ōscula dedit. illa ōscula forent ultima. pater ālās movēre coepit, et ālīs levātus est. fīlius quoque ālīs levātus est.

forent: *would be*

iam pater ante fīlium volāns fīliō timuit. dum

volābat timēbat nē fīlius caderet.

timebat ne: *was fearing that*

pater et Īcarus sunt velut avēs. Daedalus est similis mātrī avī, et Īcarus similis est prōlī (avī īnfantī).

velut: *like, just like*

proles: offspring

ecce avēs. māter avis et prōlēs in nīdō sunt. nīdus situs est in arbore altā. māter prōlem docet. māter prōlī dat praecepta volandī. māter ex nīdō volat et hortātur prōlem sequī. prōlēs timida mātrem ex nīdō sequitur.

situs est: *was located, situated*

velut māter avis, Daedalus hortātur ut fīlius sequātur. Daedalus ante

erudit: *teaches, instructs*

fīlium volat. pater artēs volandī ērudit. ālās movēns timet. ad fīlium respēxit.

fīlius Īcarus ālās movēns patrem sequitur.

TIER 10.3

inter opus et monitūs genae senīlēs maduērunt,

monitus: *warnings*

genae seniles maduerunt: *the old man's cheek became wet*

et manūs patriae tremuērunt.

[Daedalus] dēdit nātō suō ōscula

[ōscula] nōn iterum repetenda

non iterum repetenda: *never again to be repeated*

et [pater] pennīs levātus

pennis levatus: *lifted up on his wings*

ante volat comitīque [Īcarō] timet,

comiti: *for his companion*

teneram: *thin, young*

velut avis quae prōlem teneram in āera prōdūxit ab altō nīdō,

damnosas artes: *destructive arts*

et [Daedalus] hortātur [fīlium] sequī damnōsāsque artēs ērudit.

et ipse movet ālās suās

nati: *his son's*

et [ille] ālās nātī respicit.

TIER 10.4

(Ovid *Metamorphoses* 8.210-16)

inter opus monitūsque genae maduēre senīlēs, 210
et patriae tremuēre manūs; dēdit ōscula nātō
nōn iterum repetenda suō pennīsque levātus
ante volat comitīque timet, velut āles, ab altō
quae teneram prōlem prōdūxit in āera nīdō,
hortāturque sequī damnōsāsque ērudit artēs 215
et movet ipse suās et nātī respicit ālās.

PARS XI

tres virī

TIER 11.1

pater et fīlius per caelum rapidē volant.

in terrā sunt trēs virī.

prīmus prope mare est. hic vir piscātor est.

piscator: a fisherman

harundinem in manū habet. harundinem in mare pōnit.

harundem: a reed, a fishing pole

piscator piscēs in marī captat.

ecce harundō tremit! vir piscem cēpit! vir multōs piscēs harundīne tremulō captat!

iam piscātor piscēs nōn captat. caelum spectat. in caelō hominēs videt! homines volant! vir hominēs vidēns mīrātur.

piscātor: "hominēs per caelum volāre nōn possunt. credō eōs esse deōs!"

pisces: *fish*

captat: *catches*

tremit: *trembles, shakes*

tremulo: *shaking*

miratur: *wonders, is amazed*

pastor: *a shepherd*

secundus vir pāstor est.

pāstor multās ovēs habet et cūstōdit. baculum habet. in terrā stat ovēs cūstōdiēns.

oves: *sheep*

custodit: *guards*

iam ille pāstor caelum spectat. videt Daedalum Īcarumque et mīrātur.

pāstor: "videō hominēs per caelum volantēs! crēdō hōs duōs volantēs esse deōs!"

volantes: *flying (people)*

tertius vir arātor est.

arator: *a plowman, farmer*

arātor in terrā labōrat. arātor stīvam in manū tenet. labor arātōris magnus est.

stiva*: handle (of a plow)*

sed iam arātor nōn labōrat. caelum spectat. videt duōs per caelum volantēs. nōn crēdit hōs duōs esse hominēs mortālēs. crēdit hōs duōs esse deōs!

TIER 11.2

aethera carpunt: *travel through the air*

Pater et fīlius aethera carpunt, et per medium caelum volant.

in terrā est vir, quī piscēs captat. in manū harundinem tenet. vir prope mare stat harundinem in mare pōnēns. harundō in mare pōnitur ut piscēs capiat. pisce captō harundō tremit. deinde vir piscem harundine tremulā ex marī extrahit.

hic vir, piscēs captāns, patrem et fīlium in caelō videt et mīrātur.

vir tremulam harundinem tenēns inquit: “ecce virī in caelō sunt! Hī virī aethera carpunt! nōn crēdō hōs virōs esse mortālēs. hōs esse deōs crēdō!”

in terrā est pāstor. pāstor, ovēs cūstōdiēns, baculō innītitur. Baculō innīxus vir caelum spectat et obstipescit. in caelō patrem et fīlium aethera carpientēs videt!

pāstor: baculō innīxus inquit: "ecce fīlius et pater aethera carpunt! Mortālēs nōn possunt aethera carpere . . . sed deī possunt! crēdō

innitur: *leans on*

obstipescit: *is astounded, amazed*

Iovem: *Jupiter*

hōs esse deōs! crēdō hōs esse patrem Iovem et fīlium Mercurium!"

aspicit: *looks at, sees*

est arātor. arātor stīvam tenēns in agrō labōrat. subitō vir stīvā innīxus virōs mīrābilēs in caelō aspicit. arātor patrem et fīlium aethera carpēntēs aspicit!

arātor stīvā innīxus inquit: "mortālēs aethera carpere nōn possunt! nōn crēdō hōs esse mortālēs quī possint aethera carpere! crēdō hōs esse deōs!"

TIER 11.3

dum aliquis piscēs tremulā harundine captat,

aut pāstor baculō innīxus

aut arātor stīvā innīxus,

videt hōs [Daedalum et Īcarum] et obstipuit

et crēdidit eōs,

quī aethera carpere possent,

esse deōs.

aliquis: *someone*

innixus: *leaning on*

TIER 11.4

(Ovid *Metamorphoses* 8.176-182)

hōs aliquis tremulā dum captat harundine piscēs,
aut pāstor baculō stīvāve innīxus arātor
vīdit et obstipuit, quīque aethera carpere possent,
crēdidit esse deōs.

Landscape with the Fall of Icarus by Pieter Brueghel the Elder

PARS XII

miser Icarus

TIER 12.1

pater et puer Īcarus in caelō sunt. multās īnsulās vident.

in sinistrā parte est īnsula Samos. in dextrā parte sunt īnsulae Lebinthos et Ca-

in sinistra parte*:* *on the lefthand side*

in dextra parte*:* *on the righthand side*

lymnē. īnsula Calymnē melle fecunda.

puer Īcarus īnsulās vidēre nōn gaudet. puer cupit celsius īre! ad sōlem īre cupit!

est audāx.

nōn cupit in mediō līmite īre! patrem relinquit et celsius et celsius it.

ille celsius iter carpit. dēseruit ducem. celsius volat. caelum cupit. caelum eum trahit! per iter altius volat.

celsius et celsius volat.

melle fecunda: *fertile with honey*

cupit*: desires, wants*

audax*: daring, brave*

deseruit*: deserted*

trahit*: drawns*

altius*: higher*

iam puer prope sōlem est. ignis cērās mollit. odor cērae bonus est. at cērae odōrātae sunt vincula pennārum!

mollit*: melts*

odoratae*: sweet-smelling*

vincula*: the chains, bonds*

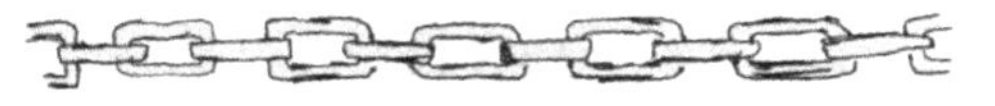

iam pennae vincula nōn habent! ālae cēris carent!

carent*: lack*

Īcarus nescit ālās carēre vinculīs. ālās igitur nōn movet. lacertōs nūdōs movet. iam puer nūllās aurās captat. per iter medium nōn volat.

lacertos*: arms*

auras captat: *catch air, fly*

puer cadit et cadit. ānxius patrem quaerit.

clāmat: “pater! pater! Daedale! Daedale!”

puer miser cadit et cadit. nōmen patris clāmat.

Īcarus in mare cadit. iam mortuus est. corpus puerī in marī est.

iam nōmen huius maris est “mare Īcarium.” mare nōmen trahit ab puerō miserō.

trahit: *draws, derives*

TIER 12.2

in marī multae īnsulae erant. pater et puer ālās movēns īnsulās aspexērunt.

in sinistrā parte erat īnsulā Samos, quam dea Iūnō cūrābat. Daedalus respiciēns īnsulās Dēlum Samumque vīdit. Dēlōsque Samosque relictae erant.

curabat: *was taking care of, was concerned for*

relictae erant: *had been left behind*

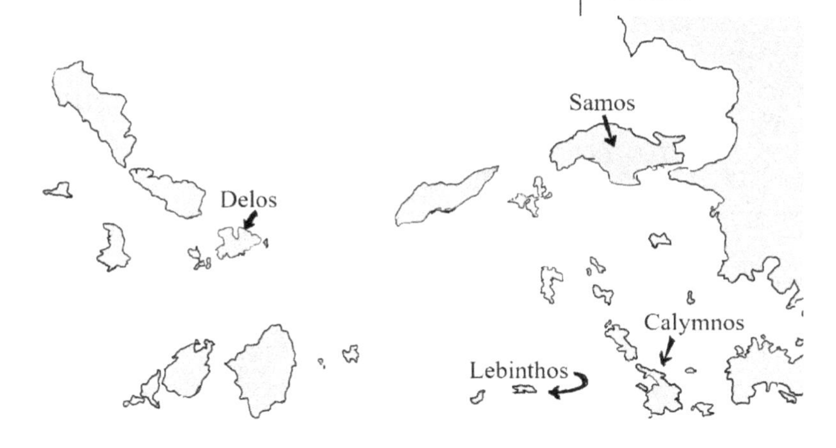

fecunda: *rich (with), fertile (with)*

dextrā parte virī āera carpentēs īnsulās Lebinthen et Calymnēn aspexērunt. īnsula Calymnē praeclāra erat quod melle fēcunda erat.

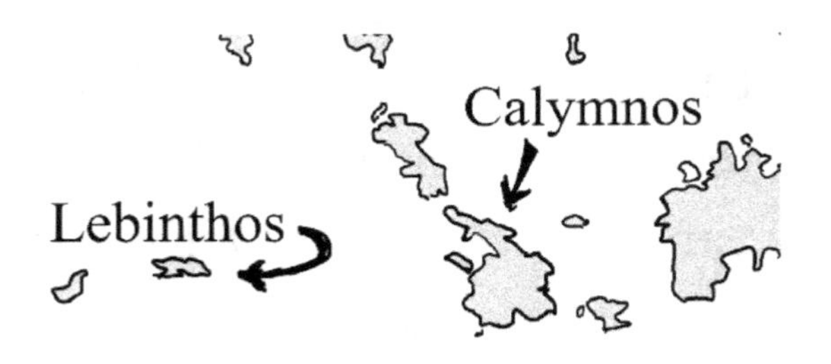

puer Īcarus īnsulās vidēre nōn gaudēbat. puer cupīvit volāre velut avis—velut deus! volātus puerī audāx erat.

volatus: *the flight*

audax: *daring, bold*

Īcarus volātū audācī gaudēbat.

brevī tempore puerō nōn voluit patrem sequī. nōn voluit in mediō līmite volāre! caelum cupīvit! iter celsius cupīvit!

puer igitur iter celsius carpēns dēseruit ducem. brevī tempore pater Daedalus relictus erat, dum Īcarus celsior volābat. caelum cupīvit. caelō tractus est! per iter altius volāvit. altius et altius et altius puer volāvit.

tractus est: *was drawn*

iam puer prope sōlem est. sōl cērās mollit. at cērae odōrātae sunt vincula pennārum! iam pennae carebant: *were lacking*

vincula nōn habent! ālae cērīs cārēbant! cērae tābuerant!

tabuerant: *had wasted away, melted*

tabuisse: *[that] . . . have melted*

Īcarus nescit cērās tābuisse. nescit ālās carēre vinculīs. ālās nōn movet. lacertōs nūdōs movet. iam puer rēmigiō caret. rēmigiō carēns puer nūllās aurās captat. rēmigiō carēns per medium iter nōn volat.

remigium: *oars, oarage*

magno timore: *with great fear*

puer cadit, et maximō timōre patrem quaerit clāmāns, "pater! pater! Daedale! Daedale!"

mare excipit puerum nōmen patris clāmantem. iam nōmen marī est "mare Īcarium." nōmen trāxit ab puerō miserō.

excipit: *receives*

nomen traxit: *derived its name*

TIER 12.3

Iunonia*: dear to Juno*

relictae fuerant: *had been left behind*

caeli cupidine*: by a loning for the sky, desire of the sky*

et iam laevā (sinistrā) parte [erat] Iūnōnia Samos

(Dēlosque Parosque relictae fuerant),

dextrā parte erat Lebinthos

et Calymnē fēcunda melle

cum puer coepit gaudēre volātū audācī

dēseruitque ducem [Daedalum]

caelīque cupīdine tractus

iter altius ēgit.

vīcīnia rapidī sōlis mollit odōrātās cērās,	vicinia: *the nearness, proximity*
([cērae erant] vincula pennārum)	rapidi solis: *of the consuming sun*
cērae tābuerant:	tabuerant*: melted*
ille quatit lacertōs nūdōs,	quatit*: flaps*
rēmigiōque carēns	
[ille] nōn ūllās aurās percipit,	auras percipit: *seizes the air, catches air*
ōraque clāmantia nōmen patrium	*ora: mouths (i.e. Icarus' mouth)*
ēxcipiuntur aquā caeruleā,	
quae [aqua] trāxit nōmen ab illō [puerō].	

TIER 12.4

(Ovid *Metamorphoses* 8.220-230)

et iam Iūnōnia laevā 220

parte Samos (fuerant Dēlōsque Parōsque relictae)

dextra Lebinthos erat fēcundaque melle Calymnē,

cum puer audācī coepit gaudēre volātū

dēseruitque ducem caelīque cupīdine tractus

altius ēgit iter. rapidī vīcīnia sōlis 225

mollit odōrātās, pennārum vincula, cērās;

tābuerant cērae: nūdōs quatit ille lacertōs,

rēmigiōque carēns nōn ūllās percipit aurās,

ōraque caerulea patrium clāmantia nōmen

excipiuntur aqua, quae nōmen trāxit ab illō. 230

PARS XIII

pater tristis

TIER 13.1

pater Daedalus miser et trīstis est. nōn iam est pater. nescit ubi fīlius Īcarus sit. Daedalus Īcarum quaerit, sed eum nōn videt.

"Īcare!" exclāmat fīlium quaerēns, "Īcare! ubi es? quā in regiōne es?"

regio*: region, area*

Daedalus fīlium in caelō quaerit. fīlium in caelō nōn videt. fīlium nōn invenit. tum Daedalus fīlium in marī quaerit.

pater miser fīlium in marī videt.

pater lacrimāns inquit: "ō puer miser! cūr tū mē dēseruistī? cūr celsior volāvistī? cūr praecepta mea nōn audīvistī!"

pater corpus fīliī ex aquā extrahit. tum sepulchrum fīliō in terrā facit. corpus Īcarī in terrā condit. iam nōmen terrae est Īcaria.

condit: *buries*

TIER 13.2

pater Daedalus īnfēlīx est. enim nōn iam pater est! nescit ubi puer sit! ānxius pater puerum quaerit. puerum terrā marīque quaerit clāmāns: "Īcare! Īcare! ubi es?" pater nescit in quā regiōne puer sit. in omnibus regiōnibus ille miser puerum quaerit. puerum in caelō nōn aspicit. puerum in marī nōn aspicit.

subitō aliquid in undīs aspicit.

pennae in undīs sunt. iam pater omnia scit. Īcarus dē caelō lāpsus est, deinde

infelix: *unfortunate, miserable*

terra marique: *on land and sea*

aliquid: *something*

lapsus est: *slipped, fell*

miser puer aquā exceptus est.

pater dolēns et trīstis corpus puerī ex undīs trahit. deinde ille corpus in tellūre pōnit. corpore in tellūre positō, pater artēs suās dēvōvit!

tellus: *earth, ground*

devovit: *cursed*

Daedalus: "Īcare, Īcare, artēs meae damnōsae sunt! arte meā ālās fēcī. arte meā volāvimus ego et tū. arte meā de caelō lāpsus es in undās. nōn iam sum pater . . ."

Est sepulchrum. pater corpus Īcarī sepulchrō condidit. corpore conditō, pater lacrimat, clāmāns nōmen fīliī.

iam tellūs, in quā corpus conditum erat, nōmen trahit ab puerō Īcarō. nōmen tellūrī est īnsula "Īcaria."

conditum erat: *had been buried*

TIER 13.3

at pater īnfēlīx,

nec iam pater,

dīxit:

"Īcare, Īcare, ubi es?

[in] quā regiōne tē requīram?"

requiram*: will I seek, look for*

"Īcare," dīcēbat:

[Daedalus] pennās in undīs aspexit

dēvōvitque suās artēs

corpusque sepulchrō condidit,

et tellūs dicta [est] ā nōmine sepultī [puerī]

dicta est: *was called*

TIER 13.4

(Ovid *Metamorphoses* 8.231-5)

at pater īnfēlīx, nec iam pater, 'Īcare,' dīxit,

'Īcare,' dīxit 'ubi es? quā tē regiōne requīram?'

'Īcare' dīcēbat: pennās aspexit in undīs

dēvōvitque suās artēs corpusque sepulcrō

condidit, et tellūs ā nōmine dicta sepultī. 235

Glossary

A

a, ab: *by , from*
abeo, ire, ii, itum: *depart, go away; go off, go forth*
accipio, ere, cepi, ceptum: *take, grasp, receive, accept*
accido, ere, cidi: *to happen, occur*
accommodo, are, avi, atum: *fit, fasten on*
ad: *to, up to, towards; near, at*
adamo, are, avi, atum: *fall in love*
adeo: *so much, to such an extent*
aduro, ere, ussi, ustum: *scorch, singe; burn; consume in fire*
aer, aeris (acc. aera) (m.): *the air*
aeternus, a, um: *eternal, everlasting, imperishable, perpetual*
aether, eris (m.): *upper air, sky*
adficio, ere, feci, fectum: *affect, make impression; move, influence*
ager, agri (m.): *field, ground*
ait: *he says*
ala, ae (f.): *wing; upper arm,*
aliquis, a, id: *someone*
aliquot: *some, several*
alligo, are, avi, atum: *bind, fetter (to); bandage*
altus, a, um: *high, deep, profound*
alo, ere, ui, alitum: *feed, nourish*
altius, adv.: *higher*

amo, are, avi, atum: *love, like*
amor, oris (m.): *love; affection*
amplector, i, amplexus sum: *to embrace*
amplexus, us (m.): *clasp, embrace, surrounding*
anguis, is (m.): *snake, serpent*
animus, i (m.): *mind; intellect*
annus, i (m.): *year*
ante: *in front, before*
anxius, a, um: *anxious, uneasy, disturbed*
aqua, ae (f.): *water; sea*
arator, oris (m.): *plowing, plow*
arbor, oris (f.): *tree*
ars, artis (f.): *skill, craft, art;*
artifex, icis (m.): *skilled person, artisan*
artificium, ii (n.): *art, craft, trade*
aspicio, ere, spexi, spectum: *look, see, observe*
at: *but*
atque: *and*
audax, -acis: *bold, daring; courageous*
audio, ire, iui, itum: *hear, listen*
aura, ae (f.): *breeze, breath (of air)*
aut: *or, either...or (aut...aut)*
autem: *but, however*
auxilium, ii (n.): *help, assistance*
avis, is (f.): *bird*
avena, ae (f.): *stalk of grass, reed*

B

baculum, i (n.): *stick, staff*

belligero, are, avi, atum: *wage or carry on war*
bellum, i (n.): *war, warfare*
bonus, a, um: *good, honest, brave*
brevi tempore: *in a short time*
bubulus, a, um: *of a bull, a bull's*

C

cado, ere, cecidi, casum: *fall, sink, drop*
caelum, i (n.): *heaven, sky*
caeruleus, a, um: *blue*
calamitas, atis (f.): *loss, damage, harm; misfortune*
capio, ere, cepi, captum: *to take, seize*
capto, are, avi, atum: *try to catch, grasp, seize*
captivus, a, um: *caught, taken captive*
caput, itis (n.): *head*
careo, es, ere, ui, iturus: *be without, lack*
carpo, ere, carpsi, carptum: *seize, pick, pluck*
  viam carpere: *to seize a way, to travel*
celsus, a, um: *high, lofty, tall*
cera, ae (f.): *wax, beeswax*
certus, a, um: *sure, resolved, determined*
certe: *surely, certainly*
cibus, i (m.): *food, a meal*
civis, is (m.): *citizen, free person*
civitas, atis (f.): *community, city, town*
clamo, are, avi, atum: *cry, shout*
clarus, a, um: *clear, bright, gleaming*
clivus, i (m.): *a slope, ascent*
coepio, ere, coepi, coeptum: *begin, commence*

comes, itis (m.): *comrade, companion*
commotus, a, um: *moved*
compono, ere, posui, positum: *place, put*
concludo, ere, clusi, clusum: *confine, enclose*
condo, ere, didi, ditum: *to bury*
compono, ere, posui, positum: *to put together, collect together*
consilium, ii (n.): *a plan*
consisto, ere, stiti: *to stop, stand, halt*
corium, i (n.): *skin, leather, hide*
corona, ae (f.): *crown; garland, wreath*
corpus, oris (n.): *body*
credo, ere, didi, ditum: *believe, trust in, rely on*
cresco, ere, creui, cretum: *increase ascend*
cerno, ere, creui, cretum: *distinguish, discern*
crudelis, e: *cruel, severe*
cum: *with*
cupidus, a, um: *longing for, desirous of*
cupio, ere, ivi, itum: *wish, be eager for; desire*
cur: *why*
curo, are, avi, atum: *take care of care for*
curro, ere, cucurri, cursum: *run, hasten, fly*
curvamen, minis (n.): *curve, bend*
custodio, ire, iui ou ii, itum: *guard, protect*

D

do, dare, dedi, datum: *give*
damnosus, a, um: *harmful, detrimental, ruinous*
de: *down, down from, away from*

dea, ae (f.): *goddess*
deicio, ere, ieci, iectum: *throw*
deinde: *then, next*
demissus, a, um: *low*
dens, dentis (m.): *tooth*
desero, ere, ui, desertum: *desert, abandon*
destituo, ere, destitui, destitutum: *leave, abandon*
deus, i (m.): *a god, a deity*
devoro, are, avi, atum: *devour, consume*
dexter, tra, trum: *right, to the right hand*
Dia, ae (f.): *the island of Naxos*
dico, ere, dixi, dictum: *say, declare*
difficilis, e: *difficult, troublesome*
dimitto, ere, misi, missum: *send away, send off*
discedo, ere, cessi, cessum: *go, depart, withdraw*
disco, ere, didici: *learn*
discipulus, i (m.): *student, pupil*
dispar, aris: *unequal, disparate, unlike*
diu: *for a long time*
doceo, ere, cui, ctum: *teach*
doleo, ere, ui, itum: *hurt; be in pain*
domus, us (f.): *house, home*
dormio, ire, iui, itum: *sleep*
duco, ere, duxi, ductum: *lead*
dum: *while*
duo, ae, o: *two*
dux, ducis (m.): *leader, guide*

E

eo, ire, iui, itum: *go*
is, ea, id: *he, she, it*
ecce: *behold! look!*
effugio, ere, fugi, fugiturus: *flee, escape*
ego, mei: *I, me*
enim: *for*
ensis, is (m.): *sword*
epulor, aris, ari: *to feast (on)*
erudio, ire, ivi, itum: *to educate, instruct*
et: *and*
etiam: *also, even*
ex: *out of, from*
excipio, ere, cepi, ceptum: *receive*
exsilium, ii (n.): *exile, banishment*
exitus, us (m.): *exit, departure*
exsul, ulis (m.): *an exile*
extraho, ere, traxi, tractum: *drag out, extract*

F

faber, bri (m.): *workman, artisan*
fabrica, ae (f.): *craft, art*
fabrico, are, avi, atum: *build, construct*
facio, ere, feci, factum: *make, do*
falsus, a, um: *false*
fecundus, a, um: *fertile, fruitful*
femina, ae (f.): *woman; female*
fero, ferre, tuli, latum: *bring, bear, carry off*
fertur: *it is reported, it is said*

filia, ae (f.): *daughter*
filius, ii (m.): *son*
filum, i (n.): *thread, string*
fistula, ae (f.): *shepherd's pipe; tube*
flecto, ere, flexi, flexum: *bend, curve*
foret: *would be* (futurum esse)
forma, ae (f.): *form, appearance*
fortis, e: *strong, brave*
frater, tris (m.): *brother*
frons, ontis (f.): *forehead, brow, face*

G

gaudeo, ere, gauisus sum: *be glad, rejoice*
geminus, a, um: *twin, double*
gemma, ae (f.): *jewel, gem*
genae, arum (f.): *cheeks*
genu, us (n.): *knee*
gero, ere, gessi, gestum: *bear, carry, wear*
gladius, i (m.): *sword*
Graecia, ae (f.): *Greece*
Graecus, a, um: *Greek; the Greeks (pl.)*
gravo, are, avi, atum: *weigh down, make heavy*
gravis, e: *heavy, burdensome*

H

habeo, ere, bui, bitum: *have, hold*
habito, are, avi, atum: *live, dwell*
harundo, inis (f.): *pole, fishing rod*
hic: here: *in this place*

hic, haec, hoc: *this; these*
homo, minis (m.): *man, human being*
horribilis, e: *horrible, terrible*
hortor, aris, ari: *encourage, urge*
hospes, itis (m.): *host, guest*
humanus, a, um: *human*

I

iacio, ere, ieci, iactum: *throw, hurl*
iam: *now, already*
ianua, ae (f.): *door, entrance*
igitur: *therefore*
ignarus, a, um: *ignorant, unaware*
ignis, is (m.): *fire*
ignotus, a, um: *unknown, strange*
ille, illa, illud: that; *those; that man, that woman; he, she*
imus, a, um: inmost, *bottommost, lowest*
imitor, aris, ari: *imitate, copy, mimic*
immortalis, e: *immortal, god*
impedio, ire, iui, itum: *hinder, impede, obstruct*
in: *in, into*
induco, ere, duxi, ductum: *lead in*
inextricabilis, e: *inextricable, impossible to disentangle or sort out*
infandus, a, um: *unspeakable, unutterable*
infans, antis: *infant, child*
infelix, icis: *unfortunate, unhappy, wretched*
inferior, oris: *lower*

ingeniosus, a, um: *clever, ingenious*
immitto, ere, misi, missum: send in, send against
innitor, eris, i, nixus sum: *lean on, be supported by*
impono, ere, sui, situm: *put upon; establish*
inquit: *he says, she says*
instituo, ere, tui, tutum: *set up, establish, found*
insula, ae (f.): *island*
inter: *between, among*
interea: *meanwhile*
interficio, ere, feci, fectum: *kill, destroy*
invenio, ire, veni, ventum: *discover, find*
invideo, ere, vidi, visum: *envy*
invidia, ae (f.): *envy, jealousy*
ipse, ipsa, ipsum: *himself, herself*
iratus, a, um: *angry*
ita: *thus, so*
iter, itineris (n.): *journey, road*
itero, are, avi, atum: *do a second time; repeat*
iterum: *again, a second time*
iubeo, ere, iussi, iussum: *order, tell, command*

L

labor, oris (m.): *labor, work*
laboro, are, avi, atum: *work, labor*
lacertus, i (m.): *upper arm, arm, shoulder*
lacrimo, are, avi, atum: *cry, weep*
laevus, a, um: *left, on the left*
lapsus, us (m.): *a slipping, falling*

labor, eris, i, lapsus sum: *slip, fall*
levo, are, avi, atum: *lift, raise, hold up*
liberi, orum (m.) pl.: *children*
libro, are, avi, atum: *balance*
licet: *to be allowed, permitted*
ligneus, a, um: *wooden*
limes, itis (m.): *path, track*
linum, i (n.): *rope, line*
litus, oris (n.): *shore, seashore, coast*
locus, i (m.): *place, location*
longus, a, um: long, far
ludo, ere, lusi, lusum: *play*
lusus, us (m.): *a game, play*

M
machina, ae (f.): *machine, device*
madeo, es, ere: *be wet, become wet*
magicus, a, um: *magic*
magister, tri (m.): *teacher, master*
magnus, a, um: large, great
malus, a, um: *bad, evil, wicked*
manus, us (f.): *hand*
mare, is (n.): *sea, ocean*
mater, tris (f.): *mother*
meus, mea, meum: *my*
medius, a, um: *middle, middle of*
mel, mellis (n.): *honey*
memoria, ae (f.): *memory, recollection*
metallicus, a, um: *metallic, made of metal*

meus, mea, meum: *my*
mirabilis, e: *strange, singular*
miser, a, um: *poor, miserable, wretched*
mitto, ere, misi, missum: *send, throw, hurl*
modo . . . modo: *now . . . now*
mollio, ire, iui, itum: *soften*
moneo, ere, ui, itum: *warn, advise*
monstrum, i (n.): *monster*
mortalis, e: *mortal, human*
mors, mortis (f.): *death*
mortuus, a, um: *dead, deceased*
morior, i, mortuus sum: *to die*
moveo, ere, moui, motum: *move*
mox: *soon*
multus, a, um: *much, many*
nam: *for*
natalis, e: *of birth*
  locus natalis: *place of origin; birthplace*

N

natus, i (m.): *son*
natura, ae (f.): *nature*
naturalis, e: *natural*
navigo, are, avi, atum: *sail, navigate*
nec, neque: *and not, nor*
neglegentia, ae (f.): *neglect, negligence*
nemō̃, neminis: *no one*
nepos, otis (m.): *grandson, granddaughter, niece, nephew, descendant*

nescio, ire, iui, itum: *not know, be ignorant*
nidus, i, m: *nest*
nitidus, a, um: *shining, bright*
nitor, eris, i, nixus sum: *shine*
nolo, nolle, nolui: *be unwilling, not want*
nomen, inis (n.): *name*
non: *not*
novo, are, avi, atum: *make new, renew*
nudus, a, um: *nude, bare*
nullus, a, um: *no, none, not any*
nunc, adv.: *now*

O

ob: *on account of, for the sake of*
obicio, ere, ieci, iectum: *throw before*
observo, are, avi, atum: *watch, observe*
obstipesco, ere, ui: *be struck dumb; be astounded*
obstruo, ere, struxi, structum: *block up, barricade*
occido, ere, occidi, occisum (ob + caedo): *to strike down, to kill*
odi, isse: *hate*
odor, oris (m.): *scent, odor, aroma*
odoratus: *sweet-smelling*
olim: *formerly, once*
omnis, e: *all, every*
opifex, ficis (m.): *workman*
opus, operis (n.): *work*
ordo, inis (m.): *row, order, rank*
osculo, are, avi, atum: *kiss, exchange kisses*

osculum, i (n.): *kiss*
ostendo, ere, tendi, tentum: *show, display*
ovis, is (f.): *sheep*

P

pario, ere, peperi, partum: *bring forth, give birth to*
pariter, adv.: *equally; together*
parvus, a, um: *small, little*
pastor, oris (m.): *shepherd, herdsman*
pater, tris (m.): father
patria, ae (f.): *native land; home, one's country*
patrius, a, um: *father's, paternal; ancestral*
paulatim: *little by little, gradually*
pelagus, i (n.): *sea, the open sea*
pendeo, ere, pependi, -: hang
penna, ae (f.): *feather, wing*
per: *through*
percipio, ere, percepi, perceptum: *capture, seize*
perennis, -e: *everlasting*
periculum, i (n.): *danger, risk*
periculosus, a, um: *dangerous, hazardous*
perodi, isse, osus: *hate thoroughly, detest*
peto, ere, iui, itum: *head for, seek, attack*
piscator, oris (m.): *fisherman*
piscis, is (m.): *fish*
placeo, ere, cui, citum: *to please, like, delight*
pluma, ae (f.): *feather, plume*
pollex, icis (m.): *thumb*
polliceor, eri, pollicitus sum: *promise*

pono, ere, posui, situm: *put, place*
possum, potes, posse, potui: *be able, can*
possideo, ere, sedi, sessum: *possess, hold*
possum, potes, posse, potui: *be able, can*
post: *behind, after*
posteaquam: *after*
praeceptum, i (n.): *rule, teaching*
praecipio, ere, cepi, ceptum: *teach, instruct*
praeclarus, a, um: *famous, distinguished*
primus, a, um: *first, foremost*
prior, oris: *earlier*
prodo, ere, didi, ditum: *betray, hand over*
produco, ere, duxi, ductum: *lead forward, bring out*
proles, is (f.): *offspring, descendant*
prope: *near, nearly*
propter: *on account of, because of*
protinus: *immediately, at once*
puella, ae (f.): *girl*
puer, eri (m.): *boy*
pugna, ae (f.): *battle, fight*
pugno, are, avi, atum: *fight*
pulcher, chra, chrum: *pretty; beautiful; handsome*
punio, ire, iui, itum: *punish*
puto, are, avi, atum: *think*

Q

qui, quae, quod: *who, which*
quis, quae, quid: *who? which?*
quantus, a, um: *how great; how much*

quatio, ere, -, quassum: *shake, flap*
queror, eris, i, questus sum: complain; protest
quod: *because*
quondam: *once*
quisque, quaeque, quidque: *each, every*

R

rapidus, a, um: *rapid, swift*
rapio, ere, rapui, raptum: *drag off; snatch*
rex, regis (m.): *king*
regius, a, um: *royal, of a king, regal*
relinquo, ere, reliqui, relictum: leave behind, abandon
remaneo, ere, mansi, mansum: *stay behind; continue, remain*
remigium, i (n.): *rowing, oarage*
removeo, ere, moui, motum: *move back, remove*
renideo, ere: *gleam; smile back (at)*
repeto, ere, iui, ii, titum: *return to, repeat; recall*
requiro, ere, quisiui, quisitum: *seek, ask for*
respicio, ere, spexi, spectum: *look back at*
respondeo, ere, di, sum: *answer*
rex, regis (m.): *king*
rideo, ere, risi, risum: *laugh, ridicule*
rusticus, a, um: *country, rural, rustic*

S

sacrum, i (n.): *sacrifice; religious rites (pl.)*
sacrifico, are, avi, atum: *sacrifice*

sapiens, entis: *wise, judicious*
scelus, eris (n.): *crime; wickedness*
scio, ire, sciui, scitum: *know, understand*
se: *himself, herself, itself, themselves*
secundus, a, um: *second*
sed: *but*
senilis, e: *senile, aged*
septem: *seven*
sepulchrum, i (n.): *grave, tomb*
sequor, i, secutus sum: *follow*
serpens, entis (m./f.): *serpent, snake*
servo, are, avi, atum: *keep, guard, preserve*
si: *if*
sic: *thus, so*
sicut: *as, just as*
sidus, eris (n.): *star; constellation*
similis, e: *like, similar, resembling*
sinister, tra, trum: *left*
sum, es, esse, fui: *be; exist*
sol, solis (m.): *sun*
solus, a, um: *only, alone*
soror, oris (f.): *sister*
species, ei, f: *sight, appearance*
specto, are, avi, atum: *observe, watch, look at*
sto, are, steti, statum: *stand, stand still*
statim: *at once, immediately*
stella, ae (f.): *star*
stiva, a (f.): *a plough-handle*
stringo, ere, strinxi, strictum: *draw (a sword)*

suus, a, um: *his, her, one's (own), her (own)*
subito: *suddenly*
summus, a, um: *highest, greatest*
sumo, ere, sumpsi, sumptum: *take up*
super: *over, above*

T

tabesco, ere, bui, -: *melt, dissolve*
tango, ere, tetigi, tactum: *touch*
tam: *so, so much, to such an extent*
tamen: *nevertheless, still*
tandem: *finally; at last*
taurus, i (m.): *bull*
tu, tui, sing.: you
tectus, I (m.): *a roof, a covering*
tellus, uris (f.): *earth, ground; the earth; land, country*
tempus, oris (n.): *time*
teneo, ere, ui, tentum: *have, hold, possess*
tener, era, erum: *tender, gentle; young*
tenuis, e: *thin, fine; delicate, slender*
terra, ae (f.): *earth, land, ground*
tertius, a, um: *the third*
timeo, ere, timui: *fear, dread*
timidus, a, um: *timid; cowardly; fearful*
timeo, ere, timui: *fear, dread, be afraid*
totus, a, um: *whole, all, entire*
tracto, are, avi, atum: *draw, pull, drag. derive*
traho, ere, traxi, tractum: *draw, drag, derive*
transformo, are, avi, atum: *transform*

tremulus, a, um: *trembling*
tres, ium: *three*
tristis, e: *sad, gloomy*
tum: *then, at that time*
tunc: *then, thereupon, at that time*
ubi: *where*

U

ullus, a, um: *any*
ultimus, a, um: *the farthest, extreme, last*
umerus, i (m.): *upper arm, shoulder*
una: *together with, along with*
unda, ae (f.): *wave, sea*
urbs, urbis (f.): *city*
ut: *that, so that, in order to*
utor, eris, i, usus sum: *use, make use of*
utrum, utrum: *whether*
uxor, oris (f.): *wife*

V

vacca, ae (f.): *cow*
vagus, a, um: *roving, wandering*
vectigalis, e: *liable for taxes*
velo, are, avi, atum: *veil, cover up*
velum, i (n.): *a sail*
velut: *just as, as if*
venio, ire, ueni, uentum: *come*
verbum, i (n.): *word*
verto, ere, uerti, uersum: *turn, turn around*

via, ae (f.): *way, road, journey*
vicinia, ae (f.): *neighborhood, nearness*
vinco, ere, uici, uictum: *conquer, defeat*
victor, oris (m.): *victor, winner*
victoria, ae (f.): *victory*
video, ere, uidi, uisum: *see, look at; consider*
vinculum, i (n.): chain, bond, fetter
vir, uiri (m.): *man; husband; hero*
virgineus, a, um: *virgin, unmarried*
voco, are, avi, atum: *call, summon; name*
trado, ere, didi, ditum: *hand over, surrender*
volo, are, avi, atum: *fly*
voluntarie: *voluntarily*
volo, uis, uelle, uolui: *wish, want*

About the author

Andrew Olimpi lives in Dacula, Georgia with his beautiful and talented wife, Rebekah--an artist, writer, and English teacher—and his son Ransom Alexander. When he is not writing and illustrating books, Andrew teaches Latin at Hebron Christian Academy in Dacula, Georgia. He holds a master's degree in Latin from the University of Georgia, and currently is working towards a PhD in Latin and Roman Studies at the University of Florida. He is the creator of the Comprehensible Classics series of Latin novellas aimed at beginner and intermediate readers of Latin.

OTHER "COMPREHENSIBLE CLASSICS" TTILES BY ANDREW OLIMPI AVAILABLE NOW

Filia Regis et Monstrum Horribile
Level: Beginner
Unique Word Count: 125
Originally told by the Roman author Apuleius, this adaptation of the myth of Psyche is an exciting fantasy adventure, full of twists, secrets, and magic. The reader will also find many surprising connections to popular modern fairy tales, such as "Cinderella," "Snow White," and "Beauty and the Beast."

Via Periculosa
Level: Beginner/Intermediate
Unique Word Count: 130 (40 cognates)

Niceros is a Greek slave on the run in ancient Italy, avoiding capture and seeking his one true love, Melissa. However, a chance encounter at an inn sets in motion a harrowing chain of events that lead to murder, mayhem, mystery, and a bit of magic.

Loosely adapted from the Roman author Petronius, *Via Periculosa* ("The Dangerous Road") is an exciting and surprising supernatural thriller suitable for Latin readers in their first or second year of study and beyond.

Familia Mala:
Saturnus et Iuppiter
Level: Beginner
Word Count: 120 (35 cognates)

They're the original dysfunctional family! Rivalry! Jealousy! Poison! Betrayal! Gods! Titans! Cyclopes! Monsters! Magical Goats!

Read all about the trials and tribulations of Greek mythology's original royal family! Suitable for all novice Latin readers.

LABYRINTHUS
Level: Beginner
Unique Word Count: 125
(40 cognates)

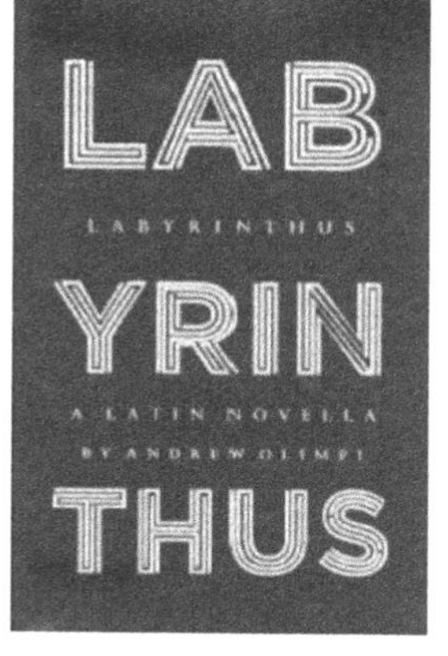

Princess Ariadna's family is . . . well . . . complicated. Her father Minos, king of Crete, ignores her. Her mother is insane. Her half-brother is a literal monster—the Minotaur who lives deep within the twisting paths of the Labyrinth. When a handsome stranger arrives on the island, Ariadna is faced with the ultimate choice: should she stay on the island of Crete, or should she abandon her family and her old life for a chance at escape . . . and love? This novella is adapted from Ovid's *Metamorphoses* and Catullus' "Carmen 64," and is suitable for all novice readers of Latin.

Perseus et Rex Malus
Puer Ex Seripho
Vol. 1
Level: Intermediate
Unique Word Count: 300

On the island of Seriphos lives Perseus a twelve-year-old boy, whose world is about turned upside down. When the cruel king of the island, Polydectes, is seeking a new bride, he casts his eye upon Perseus' mother, Danaë. The woman bravely refuses, setting in motion a chain of events that includes a mysterious box, a cave whose walls are covered with strange writing, and a dark family secret. "Perseus et Rex Malus" is the first of a two-part adventure based on the Greek myth of Perseus.

Perseus et Medusa
Puer Ex Seripho, Volume 2

Level: Intermediate
Unique Word Count: 300

Perseus and his friends Xanthius and Phaedra face monsters, dangers, and overwhelming odds in this exciting conclusion of "The Boy from Seriphos." This novel, consisting of only 300 unique Latin words (including close English cognates), is an adaptation of the myth of Perseus and Medusa, retold in the style of a young adult fantasy novel.

Ego, Polyphemus

Level: Beginner

Unique Word Count: 155
(80 cognates)

Polyphemus the Cyclops' life is pretty simple: he looks after his sheep, hangs out in his cave, writes (horrible) poetry, eats his cheese . . . until one day a ship arrives on his peaceful island, bringing with it invaders and turning his peaceful world upside down.

Based on the works of the Vergil and Ovid, this novella is suitable for all beginning readers of Latin.

CPSIA information can be obtained
at www.ICGtesting.com
Printed in the USA
LVHW011547240720
661452LV00012B/799

9 781733 005203